Cyhoeddiadau
barddas

Cyhoeddiadau
**barddas**



Argraffiad cyntaf: 2021

ISBN 978-1-91158-450-6



Cyhoeddwyd gan Gyhoeddiadau Barddas.
www.barddas.cymru

Mae'r cyhoeddwr yn cydnabod
cefnogaeth ariannol Cyngor Llyfrau Cymru.

Cyhoeddwyd mewn cydweithrediad â BBC Radio Cymru
a gyda diolch i'r beirdd am bob caniatâd i gyhoeddi'r cerddi.

Dyluniwyd gan Tanwen Haf.
Argraffwyd gan Y Lolfa, Tal-y-bont.

I HOLL WRANDAWYR RADIO CYMRU

# CYNNWYS

# Y BWRDD BRECWAST

Wrth i'r boreau wawrio yn rhy brysur
a chant a mil o dasgau eisiau'u gwneud,
y rhagolygon tywydd yn ddigysur
a phethau ar ein meddwl heb eu dweud;
pan fydd y gwaith beunyddiol yn ein llethu
heb weld ymhellach na'n trafferthion mân
a phan fo pawb a phopeth wedi'n methu
a ninnau'n dal i ganu 'run hen gân,
cawn glywed, unwaith eto, dros y radio
am erchyllterau draw 'mhellafion byd,
bydd barbareiddiwch dynion yn ein sadio
uwchben ein byrddau brecwast cegrwth, mud.
Bryd hynny cawn, dros ail gwpanaid te,
am funud fach ystyried be 'di be'.

**IDRIS REYNOLDS**

# RHAGAIR

'Maeth' – dyna'r gair bach ddaeth i'r meddwl wrth wynebu'r cwestiwn am y tro cyntaf. Beth oedd fy ngweledigaeth i ar gyfer Radio Cymru? Mae 'gweledigaeth' yn air mawr. Gwarchod y teimlad o sgwrs gymunedol-genedlaethol sy'n unigryw i'r orsaf, rhoi cyfle i leisiau newydd o bob math a, wel, cyflwyno'r hyn alwes i'n dipyn bach o 'faeth' i sŵn y dydd.

Fisoedd wedyn y daeth un elfen o'r 'maeth' hwnnw yn rhywbeth mwy na gair. Criw Barddas ddaeth heibio i drafod egin syniad o ddathlu'r ffaith bod ein perthynas ni'r Cymry â barddoniaeth mor hyfyw, mor anghyffredin. Dim ond ychydig flynyddoedd ynghynt roedd beirdd wedi creu penawdau drwy fynd ar streic! Pa genedl arall, pa orsaf genedlaethol arall fyddai'n teimlo'r golled i'r fath raddau?

Y syniad oedd pennu Bardd y Mis fyddai'n dod yn un o leisiau'r orsaf, yn ymateb i bethau bach a mawr.

Ond geiriau Dafydd Pritchard hoeliodd y peth. Oni fydde hi'n grêt, meddai, pe bai modd gadael cerddi fel matiau cwrw hwnt ac yma ar yr orsaf, yn bethau bach lliwgar, trawiadol, i afael ynddyn nhw am funud, eu gwerthfawrogi, cyn symud yn ein blaenau i'r sgwrs, i'r gân nesaf?

A dyna ddechrau roi ystyr i'r addewid yna o faeth. A beth mae dyn yn ei wneud gyda matiau cwrw sy'n rhan o noson wirioneddol dda, yn dod i olygu rhywbeth i ni, yn ein hatgoffa ni o gyswllt oedd mor werthfawr ar y pryd? Eu casglu nhw ac yn yr achos yma, eu rhoi rhwng dau glawr.

Mwynhewch y casgliad amrywiol sydd yn y gyfrol hon gan obeithio bod yma ambell gerdd sy'n dwyn i gof rai o uchafbwyntiau'r blynyddoedd diwethaf – yn bigion bach lliwgar i'w gwerthfawrogi dro ar ôl tro.

Diolch, Barddas, ac yn bwysicaf oll, diolch i'r beirdd bob un.

**BETSAN POWYS**
Gorffennaf 2021

# PENILLION NEWYDD I'R HEN GALAN

Mae'r flwyddyn wedi'i geni
yn hwyr y nos eleni,
a heddiw rhag *hangover* gwaeth
am lymaid llaeth yn gweiddi.

Mae teulu a chyfeillion
yn trydar eu cyfarchion,
yn dod i gwrdd ar ddechrau dydd
ei gilydd yn y galon.

Bydd 'leni, taerwn ninnau,
yn ddoethach, er pob amau,
anwylach, callach, gwell ei gwedd
na'r llynedd ar ei gorau.

Er gwybod gwell, mae'r ysfa
heddychlon ar ei heitha',
a chlo ar iet hen winllan ddu
surfelys y rhyfela.

Mae'r flwyddyn, er ei gwlyped,
yn newydd o ddiniwed,
mae iaith ein gobaith yn ei gwên,
hi hen, eleni ganed.

**EURIG SALISBURY**
Ionawr 2016

# *ADDUNEDAU*

Yn foliog awn yn ôl i'n dyddiau gwaith
a chwyno'n daer drwy draffig trwm y dre
nad ydi'r gwyliau'n ddigon hir na chwaith
y tywydd yn ein siwtio. Ydi'r we'n
arafach fyth? Mae'r addunedau'n swp
mewn bin yn rhywle, ac fe awn yn ôl
i'r un hen drefn, yr un mor ddall a thwp
â ddoe, yn barchus iawn i'n priod rôl.

Heibio esgyrn gwag y tai a'r tanciau
yng nghysgod wal ar wely llwch y lôn
y mae dau â'u holl yfory'n garpiau,
yn hepian i gyfeiliant hymian drôn,
â'u haddunedau nhw 'di'u dal yn dynn
mewn dwylo sy'n rhy hen i'w hienctid gwyn.

**IESTYN TYNE**
Ionawr 2017

# CHWILIO

O Ionawr a'i ddyffrynnoedd
awn a chanfod cyfrinach enfys,
un a'i odre'n chwardd o belydrau,
a hanfod ein gwynfyd
i'w gael yn ei gawg aur.

Ohono tynnwn
heulwen o lawenydd,
un pelydryn fel perl,
yn dlws yng nghledr dy law;
hwn yw Taliesin ein hinon,
a phob addewid o hyd yn newid,
yn pefrio hyn o aeaf.

Yn flodau gardd, yn chwarddiad,
yn her cyhyrau,
yn chwarae mân, yn gytgan, yn gôr,
yn sgwrs araf y dafarn,
yn eiriau ar gerdded,
yn gymuned,
yn gerdd.

Â gwên,
awn ac ildio'r cawg aur,
ond â'n dwylo'n dynn
am belydryn bach,
gan wybod
nad yw'r hanfod wrth droed yr enfys.

**LLION PRYDERI ROBERTS**
Ionawr 2018

Mae'r trydydd dydd Llun ym mis Ionawr yn cael ei alw'n Ddydd Llun Blin, sef diwrnod mwyaf diflas y flwyddyn, mae'n debyg. Ond ar y 23ain o Ionawr 2018, roedd Radio Cymru yn dathlu Dydd Bydd Hapus!

# *ENWI CARIAD*

## (AR DDYDD SANTES DWYNWEN)

Codi'r haenau dwfn; tynnu'r egin o'r pridd;
disgwyl y dydd heb weld y glasu
ac esgyn heb sylwi i'r brig;
cyrchfan i'r crwydro fu gynt
heb nod; lluwchfeydd manod;
y llawr danat pan fo'r byd yn llwm;
dwy galon yn fwrlwm;
gwybod bod sêr o hyd
hwnt i olau'r ddinas; cymod galanas;
carreg ateb i lais unig;
ailgodi'r meini ysig;
adnabod mewn torf;
meysydd haf heb oror;
wedi tryblith, hedd; weithiau anhunedd;
breuddwyd nad oes mo'i diwallu,
a'r byd ar wastad dau: ni.

**MORGAN OWEN**
Ionawr 2019

# CHWEFROR

Mis bach, mis byr,
Mis gwên a gwewyr,
Mis Lili Wen,
Mis clyd tan garthen,
Mis y golau
A Gŵyl Canhwyllau,
Mis y pen-blwydd,
Hen fis unigrwydd,
Mis y crempog,
Mis camau ceiliog,
Mis daw eira?
Gŵyl Haul y Wladfa,
Mis y cilio,
Mis o ffarwelio,
Canol gaeaf,
Mis y wên olaf,
Mis poen calon,
Mae'n hen fis creulon,
Mis bach, mis byr –
Ond hir ei wewyr.

**MAIR TOMOS IFANS**
Chwefror 2016

# C.FF.I.

Mae'n nosi,
mae'n bryd ei throi hi
ar ras, ar ruthr
i'r neuadd fach
sy'n prysur lenwi.

Yn y drws, gwelaf gysgod
hogen fach
yn eiddil wylio,
yn eiddil wrando
ar y criw a'u straeon gwallgo'
am gaeau gwlyb y Rali,
peintiau hwyr y parti,
holl firi'r caru a'r cystadlu.

Fe'i gwyliaf,
yn hanner gwenu,
yn hanner cochi,
yn union fel y gwnes innau
ar drothwy'r drws.

Ond mae rhywbeth yn ei denu,

ac er bo'r nos yn araf nosi,
mae un arall yn mentro arni.

**MEGAN ELENID LEWIS**
Chwefror 2019

# Y GÊM RYGBI

Bnawn fory draw yn Nulyn
a'r dorf yn gweiddi'n groch,
fy mreuddwyd fyddai rhedeg
i'r cae yn gwisgo coch.

Mi floeddiwn i yr Anthem
nes bron â cholli'n llais
cyn dal y bêl a rhedeg
a'i thirio i gael cais.

Mi fyddai gen i ddefod
cyn cicio'r bêl mor gain
a sicrhau y triphwynt
o flaen y polion main.

Mi daclwn i'r Gwyddelod
a'u tynnu nhw i'r llawr.
Mi safwn yn y *line-out*
yn dalsyth fatha cawr.

Mi ffugiwn i yn gyfrwys,
mi basiwn i yn chwim;
beth wir a allai'n rhwystro
rhag ennill? Dwn i ddim.

Bnawn fory pan fydd Cymru'n
wynebu'r crysau gwyrdd,
mi fyddai'n croesi 'mysedd
yn steddfod cylch yr Urdd.

**IFAN PRYS**
Chwefror 2018

Mae mis Chwefror hefyd yn gyfnod prysur i'r eisteddfodwyr wrth i eisteddfodau Cylch a Sir yr Urdd gael eu cynnal ...

# GÊM

Tudalen wag yw'r cae rygbi;
y chwaraewyr yw'r geiriau sydd arni,
   yn plethu drwy'i gilydd
   yn gywrain a chelfydd
i ddweud rhywbeth newydd: AMDANI!

**GWYNETH GLYN**
Chwefror 2015

Mae Pencampwriaeth y Chwe Gwlad yn cychwyn ym mis Chwefror ac mae gobaith bob blwyddyn y bydd tîm rygbi Cymru yn ennill y bencampwriaeth!

# CYMREICTOD

## (I DDATHLU DYDD GŴYL DEWI SANT)

Rhywle ym mhlygion y siôl a lapiwyd amdanaf,
Ym mhlethiadau ei chynhesrwydd clyd, roedd un edau
Yn batrwm hardd, yn llinyn o geinder, yn araf
Ddirwyn yn gwlwm o berthyn, o gysylltiadau.
Aeth rhin yr edau feddal, o'i throi rhwng fy mysedd,
Yn rhan ohonof, ac wrth im fentro yn dalog
Hyd lwybrau bywyd roedd yno, a'i gafael rhyfedd
Yn dynn amdanaf, yn gysur pur, diysgog.
Ond weithiau, pan ddaw rhai i dynnu yn yr edau,
I'w datod am na welant iddi werth na harddwch,
Bydd brath yr edau'n torri i'r byw a bydd creithiau
Hen, hen friwiau'n llosgi yn danbaid yn y düwch.
Ac felly, os gofynni pa beth yw Cymreictod,
Nid safiad, na dewis, na her. Hwn yw fy hanfod.

**BERYL GRIFFITHS**
Mawrth 2018

# Y MANNWYD

Daeth gwanwyn wedi'r gaeaf llwm,
yr hirlwm a aeth heibio,
ond uwch fy mhen mae cwmwl llwyd,
mae'r Mannwyd wedi taro.

Rwyf yn y tŷ mewn *dressing gown*
yn llawn hylifau afiach
a bocsys tisiws ym mhob man.
Rwy'n teimlo'n wan fel cadach.

Rwyf yn fy ngwely'n chwysu'n stecs
a'r Kleenex bron â darfod,
a minnau'n amau bob rhyw awr
fod y diwedd mawr ar ddyfod.

Mae 'mhen yn pwyso ugain stôn,
mae afon hyd fy nhrawswch,
ni welwch fyth er crwydro hyd
y byd y ffasiwn fadwch.

A minnau'n gaeth i boenau'r clwy
pendronaf pwy ga'i feio.
Pwy bynnag oedd, caiff fynd i'r diawl
y sawl a wnaeth fy heintio.

Ond gyda help fy radio fach
a jioch go iach o wisgi,
fe ddof drwy'r Mannwyd gwaetha 'rioed
â Geraint Lloyd yn gwmni.

**GRUFFUDD OWEN**
Mawrth 2016

# SUL Y BLODAU

Yn Jerwsalem heddiw
mae balot a bwled
ill dau'n gwreichioni
hyd furiau'r
hen dre.

Yn Jerwsalem heddiw
mae muriau'n aros
ac yn dal i wahanu
cenhedloedd
y lle.

Yn Jerwsalem heddiw
mae byddin fyddarol
a gynnau'n traethu
athroniaeth dant
am ddant.

Yn Jerwsalem heddiw
a glywi di, Benjamin,
Rahel yn wylo
o hyd, o hyd
am y plant?

Ond yn Jerwsalem heddiw
y mae rhai yn gweddïo
dros bawb, dros bawb fel
ei gilydd
o hyd.

Yn Jerwsalem heddiw
mae palmwydd
yn obaith parhaus
hyd y llawr,
hyd y stryd.

**DAFYDD JOHN PRITCHARD**
Mawrth 2015

# *BYDDWCH FEL BORIS*

(GOLCHWCH EICH DWYLO)

I Langollen eleni,
â'i sôn iach am ein lles ni,
fe ddaeth y doctor gorau
yma i wlad sy'n amlhau
symptomau gwres a pheswch,
anhwylder hy'n wael ei drwch . . .

Fe ŵyr Sais nad feirws yw –
ceir nad corona ydyw,
yn erwau'n tir yr haint aeth
yn boen, fel annibyniaeth;
*Ond ar awr wan, jyst dros dro,*
*daliwch i olchi'ch dwylo.*

Credwch, fel gwnaeth cariadon,
yn y lân efengyl hon,
ewyn gwyn addewid gau
hwn yw Peilat ein polau;
*Waeth o hyd, fel y gwnaeth o,*
*eilwaith, golchwch eich dwylo.*

Ar ymweliad â chynhadledd Ceidwadwyr Cymru yn Llangollen ddechrau mis Mawrth 2020, mynnodd Boris Johnson ailadrodd y slogan 'Golchwch eich dwylo!' gan honni bod hynny'n ddigon i atal ymlediad y coronafeirws.

Mae cyfandir ein hiraeth
yn ei sinc, fel yr oes aeth
yn heddwch ac yn weddi
dros gryfhau ein hawliau ni;
*Ond gwell, gwell, mewn byd o'i go',*
*'No deal'. Cofiwch eich dwylo.*

Nid oes ateb i sebon
gwên slic, carbolic i'r bôn,
a'r Boris siŵr biau'r sedd,
biau nawr bob anwiredd:
*Yr un ddwed trwy'i 'winadd o,*
*daliwch i sgwrio'ch dwylo.*

Mae'r NHS? Mae rheswm
y dur rhad? Mae'n bwrw'n drwm . . .
Gawn ni drwydded deledu?
Chwalu tipiau'n dagrau du?
*O'i fyncar ariangar o*
*un ddeil i olchi'i ddwylo.*

**KAREN OWEN**
Mawrth 2020

# EBRILL Y CYNTAF

'Wi'n ffŵl am i mi ffaelu – yn dy wedd
weld y dyddiad 'leni,
a hyn a ddaw i'm 'mhoeni
am weddill fy Ebrill i.

**MERERID HOPWOOD**
Ebrill 2015

# *'NOW IS NOT THE TIME!'*

Nid rŵan ydi'r amser i weld blagur ar frigau
na gweld drwy lygaid Ebrill y gog yn glychau.

Nid rŵan ydi'r amser i wrando'r coed yn prifio
na gwylio'r ardd yn dechrau deilio.

Nid rŵan ydi'r amser i ddal y bore'n trydar,
nac arogli'r haul yn cosi'r ddaear.

Nid rŵan ydi'r amser i lasu'r llethrau
na theimlo'r cawodydd yn blingo'r caeau.

Nid rŵan ydi'r amser i dynnu'n gareiau,
na chodi llais a mynnu hawliau.

Na, nid rŵan ydi'r amser i wireddu gweledigaeth
na meiddio gofyn am annibyniaeth.

Pan ddaeth hi'n amser i drafod y cais,
does ryfedd mai 'na' oedd dy ateb trahaus.

**MARGED TUDUR**
Ebrill 2017

Geiriau'r Prif Weinidog, Theresa May, yn 2017 oedd 'now is not the time' pan fynnodd Nicola Sturgeon fod yr Alban yn cael ail refferendwm annibyniaeth.

# *ALAW'R YMYLON*

Rhyw sôn ar gyrion geiriau
ydoedd hi a'i dweud i ddau –
camgymeriad cariadon,
'na i gyd, dim byd yn y bôn,
un cwr o sgwrs mewn croes gudd –
llinell rhwng dau ddarllenydd.

Ond heddiw daeth ei lliw llwm
yn ofalus o'r felwm,
ac araith fud y graith fach
a fynnodd gael clust feinach;
gwelwn ei hôl o'i glanhau,
cri o'r ochor mewn crychau.

A'i gwers bert? O groesi bant
y gwallau, er dod gwelliant,
mae'r gân nad yw mwy ar goedd
yn arhosol drwy'r oesoedd,
a chilfachau'r bylchau bach
yn fawr iawn eu cyfrinach.

**MERERID HOPWOOD**
Ebrill 2015

Ddechrau Ebrill 2015, darganfuwyd geiriau a darluniau cudd ar ymylon Llyfr Du Caerfyrddin - un o lawysgrifau hynaf Cymru sydd dros 750 mlwydd oed - a hynny drwy ddefnyddio golau uwchfioled.

# CLAWDD EBRILL

Un goelcerth a'i phrydferthwch
ydyw'r hewl fan hyn yn drwch:
blodyn melyn ym mhob man
yn ufudd dros lethr gyfan,
fel gwreichion o aflonydd
gyda dawns llygad y dydd;
pob sbarcyn o'r bancyn bach
a'u horig yn ddisgleiriach.

Yn ddiball mae'r briallu
a'r hen feillionen yn llu,
a lliwiau aur dant y llew
yn rhydd o ddail yr eiddew,
yn doreth o glystyrau
am y lôn ac yn amlhau,
a'u harddwch yno'n hyrddio
tua'r haul ar bwys y tro.

Cam wrth gam, gweld clychau'r gog
a'r eithin mor doreithiog,
a'r un wal o ddraenen wen
a hithau'n drwch bob llathen;
ac i'r ardd tu hwnt i gred
yn filoedd mae'r fioled;
o liw i liw'n goleuo
briwiau hir caethiwed bro.

Drwy ennyd o bendroni,
haf a'i ing a welaf i,
ac os blêr yw'r border bach
mae gennym ardd amgenach
ac ydlan ein botaneg
yw lonydd y tywydd teg;
rhinweddau yw'r llysiau llai
a noddfa gwyrthiau Myddfai.

Daw cynhaeaf dail tafol
i'r fan hyn drwy'r haf yn ôl,
a ffisig mewn planhigion
wela i wrth ymyl lôn;
o liw'r clawdd daw eli'r claf
i weithio'r dolur eithaf
nes dwyn i'r gwanwyn mor gaeth
wanwyn ei feddyginiaeth.

**GERAINT ROBERTS**
Ebrill 2020

# MIS MAI, MIS IONAWR

Dafydd ap Gwilym,
dyw'r misoedd yn golygu dim i mi,
rwy'n blentyn cynnes, gwlyb
trwy'r flwyddyn
a'm gwenoliaid, a'm gwenyn
yn f'amddifadu fesul tipyn;
Dafydd ap Gwilym,
am be sgwenni di wedyn?

**IWAN HUWS**
Mai 2019

# *PENTECOST IESU*

Yn Jerwsalem ein heddiw ni
clywir côr o ieithoedd:
clywn dafodiaith y di-ffydd
a geiriau esmwyth y glastwryn glwth;
parabl y di-dduw a'r di-ddim,
a lleferydd yr amheuwr a'r sinig a'r penboeth gwyllt.

Ac yn y carbwl llafar hwn
mae clustiau plant ein strydoedd yn drysu,
a'u llygaid ar y lluniau yn eu sgrin fach gyfrin.

Gwaeth fyth yw hi ym Mhentecost ein crefyddau.

Bydd gan y Mwslim ddirgel fantra yn ei blyg,
a'r Bwdhydd ei fyfyr, a'r Hindŵ ei berlewyg.
Ninnau yn ein Salem a'n Soar,
yn Annibynwyr chwyrn,
y mae gennym ninnau ein cystrawen dwt;
ym Methel y pentre nesaf
clywn acenion pêr eu Presbyteriaeth;
a chan deyrngarwyr capel Ainon
eu deddfol ddefodol fedydd.

A bydd plant ein strydoedd
yn drysu fwy fyth ymhlith y lleisiau,
a suddo'n ddyfnach i'r lluniau bach ar eu sgrin gyfrin.

Ond yna ryw ddydd daw'r Ysbryd
i ffrwydro â'i dân drwy'r pedlera a'r ddogma ddall,
gan roi inni ei iaith newydd.
Iaith y gwneud fydd hon, nid iaith y dweud;
iaith y ffydd, nid iaith y duwiol gredoau.
Enwau a fydd yn drugaredd, ansoddeiriau maddeuant,
idiomau gras a chymwynas,
a berfau'n gyhyrog gan gariad.
Hon yw iaith yr actau tosturiol y bydd pawb yn ei deall,
Parthiaid a Mediaid ac Elamitiaid y cychod brau
a ffoaduriaid y pebyll pell.

Canys iaith Iesu yw hon, a daw'n plant i'w deall,
petaem ni ond yn dechrau ei siarad hi.

**JOHN GWILYM JONES**
Mai 2016

# AR DROTHWY CALAN MAI

Mae naws min nos mwy'n anesmwyth,
am fod ei gathod bygythiol
o boptu'r stryt yn strytian,
efo'u hewinedd yn amlwg, finiog,
a'u sgrechian hisian ym mêr ein hiasau.

Sŵn brain sy'n y wybrennydd
yn gwawdio-heidio i'r hwyr
i gynnull bwganod
o'u camp yn sgerbydau'r coed.

Ninnau, yn awr ein hofn,
yn aros am arwydd
bod chwilod y meirwon
i'n gardd ar gerdded,
a fory'n dihuno
yn hunlle bore'r barrug.

Ond o'r awr dywyll daw'r wawr,
daw awel haf o rywle i feirioli'r
hèth a'r rhew;
hin gynnes sy'n ymestyn,
a heddiw Mai fydd hi mwyach,
oblegid y mae blagur
y geiriau o geirios
di-rym yn drech
na'r rhew yn Korea.

A daw gwenoliaid â gwên eilwaith
i nen ein hofn.

Calan Mai: clywn y mwyalch.

**RHYS DAFIS**
Mai 2018

# 'SAFWN YN Y BWLCH', HOGIA'R WYDDFA

Oes o alaw yw'r seiliau – a'n huno
    wna meini eich tonau;
  criw o fois, chi sy'n cryfhau
  trwch y gaer trwy eich geiriau.

**ANWEN PIERCE**
Mai 2020

# DISGWYL AM Y WAWR

Mae'r wawr yn werth ei gweld y dyddiau hyn,
a'r heulwen yn teyrnasu dros y tir,
gadawodd heuldro'r haf y wlad ynghyn
gan egni'r golau sydd yn para'n hir.
Pa fath o wawr fydd fory, wedi dod
â'r cyfri mawr, a'r dadlau mwy i ben?
Ai gwawr o gerydd fydd hi, am ein bod
mewn tymer wedi codi cwr y llen
ar fwgan y gorffennol, a rhyddhau
cysgodion oer y ffos, y bom a'r gwn?
Neu wawr groesawgar heddwch yn parhau?
Waeth beth a wnawn, mae'r gaea'n dod, mi wn,
a thywyllu fesul diwrnod wnaiff hi nawr,
ond gwn y bydd, yfory, doriad gwawr.

**HYWEL GRIFFITHS**
Mehefin 2016

Ar y 23ain o Fehefin 2016, cafwyd pleidlais i benderfynu a oedd y Deyrnas Unedig am wahanu yn wleidyddol oddi wrth Ewrop neu beidio. Dechreuodd y cyfri'n syth ar ôl i'r blychau pleidleisio gau. Cafodd y gerdd hon ei hysgrifennu cyn i'r canlyniadau ddod i law y bore canlynol ...

# *PANINI 1978*

Dwyn yn ôl ein doeau ni
wna enw gwâr Panini,
y rhain yw'r llyfrau hanes
gorau oll; ynddynt mae gwres
twrnameintiau caeau'r co'
a'r oed pan oedd pêl-droedio
yn amen ar bob munud
i un yn byw i gwpan byd.

Dymhorau'n iau, roeddwn i
yn caru'r llyfr sticeri,
hudol oedd ei hyd a'i led,
pris pecyn oedd pres poced;
yn llanc, fe dalwn â llog
i gael un o'r rhai sgleiniog,
ias o amlen byd symlach,
aur y byd mewn sticer bach.

Â sypyn mawr i'w swopio
tua'r iard yr awn bob tro,
roedd *got, haven't got* yn gân
ar gyfer y fro gyfan,
ac ym marchnad anwadal
y dwylo chwim doedd dim dal
ai digon Rainer Bonhof
yn y sêl am Dino Zoff?

Y mae'r enwau mawr yno
yng nghyfri sticeri'r co',
yn creu tîm, mae Socrates,
Tardelli, tri Ardiles,
Villa, Rossi a Fillol,
Hans Krankl, Mario Kempes, Krol;
gwelaf urddas mwstashys
a graen y pyrm Three Degrees.

Dwyn i go' i gadw'n gall
yw siarad am oes arall,
ac i'r tad sydd ger y til
yn gwenu, daw gwefr gynnil
o rannu hen gyfrinach
wrth estyn am becyn bach
sy'n dwyn ias ein doeau ni
a hen hanes Panini.

**LLION JONES**
Mehefin 2014

Yn 2014 cynhaliwyd Cwpan Pêl-droed y Byd ym Mrasil. Wrth brynu sticeri Panini ar gyfer ei fab, edrych yn ôl ar ei brofiad ei hun yn casglu sticeri a wnaeth Llion Jones pan oedd yn Fardd y Mis ym Mehefin 2014.

# *GOBAITH*

Yn hen olau dechrau dydd
mae'i wynt ar hyd palmentydd,
yn sŵn gwag drysau'n agor
mae yno'n gân ac mae'n gôr.
Mae yn anian y canwr
a hwnnw'n awr yn hen ŵr.
Mae'n dawel mewn corneli,
yn dwym yn dy galon di.
Yn enaid, mae hwn yno
yn ein cur ac yn ein co'.

Ac ar lôn sy'n deffro'n dân,
eco haf ydyw'r cyfan;
awn yn hy â'r haul o'n hôl,
neswn at un gân iasol.

**MARI GEORGE**
Mehefin 2015

# Y GOFID

Mae e'n gyfnod od o hyd
A'r haf yn bryder hefyd;
Ei foreau'n afreal
A phob trefn drachefn ar chwâl.
Ymbellhau; ac ambell un
Yn ymdopi am dipyn,
Yn gweld anwyliaid heb gwrdd
Yng nghyffion sgrin anghyffwrdd.
Ar yr hewl at yr aelwyd
Y daw'r fan â'i stôr o fwyd:
Nhw yw sgwad y sgwrs-a-gwên –
I eiddilwch yn ddolen;

Rhai dinod, rhai dienw
Y byddai'n od hebddyn nhw,
O dŷ i dŷ eto'n dod
Gan nacáu ofnau'r cyfnod.
Rhaid diolch i'r rhai diwyd
Am eu gwaith drwy'r storm i gyd,
A gwn yn iawn yr awn ni
Ymlaen drwy storm eleni.
Mae'n anochel dychwelyd
I allu byw mewn gwell byd,
A daw'r adar byddarol
Â'r haf yn araf yn ôl.

**EMYR DAVIES**
Mehefin 2020

Ac yntau'n Fardd y Mis ym Mehefin 2020, cerdd am bandemig y coronafeirws a ganodd Emyr Davies, gyda'r wlad yn dechrau ymdopi â'r ffordd newydd o fyw o ganlyniad i'r Covid.

# *GWYLIAU'R HAF*

Mae blwyddyn arall 'di gwibio heibio,
a dillad a sgidia y plantos 'di shrincio.
Pawb yn ffarwelio am hoe fach haeddiannol:
gyda chwtsh neu bawen lawen, am adra o'r ysgol.
Athrawon, ddisgyblion, mae hon i chi,
am weithio mor galed am fisoedd di-ri –
'dach chi i gyd yn sêr, pob un wan jac,
felly fflich i'r wisg ysgol a chodwch eich pac!
Mae Steddfod Llanrwst, Sioe Môn a lan-môr
yn galw amdanoch, 'dach chi'n gwbod y sgôr:
joiwch, ymlaciwch, bwytwch, trochwch
yn heulwen mis Awst a llawen y byddwch.
Ac er bod pob rhiant pryderus yn gwybod
fod chwech wsos yn hir heb strwythur i'r diwrnod,
bydd mis Medi ar ein trothwy cyn i ni droi,
felly bloeddiwn HWRÊ fod drws ysgol yn cloi!

**MANON AWST**
Gorffennaf 2019

# *LILLE, 1.7.16*

Mae'n ddydd Gwener y chwarteri yn Lille,
a'r Grand Place yn barti.
Heddiw, mi gawn gyhoeddi
nad unnos ein Hewros ni!

Rownd pob tro, mewn bistro a bar, yn Lille
mae 'na wlad sy'n llafar;
lliw ein sgwrs yn llenwi sgwâr
a'n haf yn ddiedifar.

A law yn llaw, os daw dydd ein ffarwél,
awn o Ffrainc fel newydd.
Yn haul Lille, wele hewlydd,
wele'r *rue* at Walia rydd.

**RHYS IORWERTH**
Gorffennaf 2016

Roedd taith tîm pêl-droed Cymru a'u llwyddiant yn yr Ewros yn uchafbwynt arbennig yn haf 2016. Wrth guro Gwlad Belg yn y chwarteri, gwelwyd y tîm yn cael llwyddiant am y tro cyntaf ers 1958.

# CÂN GYFOES O'R OES O'R BLAEN AR Y RADIO

Mae'r botwm wedi'i bwyso; ni ddaw'n ôl
y gân, y galon honno, dyddiau iau –
ond dal i'w clywed mae'r tonfeddi ffôl.

Y tynnu sylw, yna'r tynnu stôl
a'r alaw'n jeifio rhwng canhwyllau dau:
mae'r botwm wedi'i bwyso; ni ddaw'n ôl.

Ar ôl yr ŵyl, cariadon roc a rôl
a welodd fandiau'n gadael, giatiau'n cau –
ond dal i'w clywed mae'r tonfeddi ffôl.

A phwy sy'n dal i gofio'r Hen Down Hôl?
Yr eiliad ddofn, ac amser yn dyfnhau?
Mae'r botwm wedi'i bwyso; ni ddaw'n ôl.

Blynyddoedd doeth sy'n datod edau'r siôl
o nodau, ac mae'i llun a'i lliw'n pellhau;
ond dal i'w clywed mae'r tonfeddi ffôl.

Rhaid imi ollwng hyn i gyd o 'nghôl,
mae'r traciau'n pylu ac mae'r tâp mor frau;
mae'r botwm wedi'i bwyso; ni ddaw'n ôl.
Ond dal i'w clywed mae'r tonfeddi ffôl.

**MYRDDIN AP DAFYDD**
Gorffennaf 2014

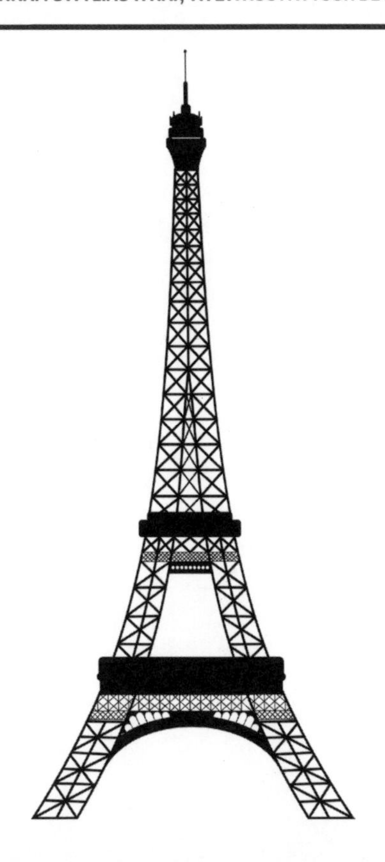

# *I GERAINT THOMAS*

Ar ras hir i Baris est ar y beic,
Gymro balch. Drwy'r ornest,
credu ac anelu wnest
yn iawn, a'i wneud yn onest.

Wedi'r reid, tyrd adre wedyn, yn d'ôl
o'th bedalu sydyn,
a gwn y bydd gan bob un
groeso a mawl i'th grys melyn.

**IWAN RHYS**
Gorffennaf 2018

# *YNYS DRAFFIG*

Wrth eistedd
mewn rhes, yn y gwres
ei weld, yr arwydd llon
o'r enw 'ynys draffig'.
Safai yn llawn addewid
a minnau'n stond,
gwahoddiad oedd
i mi gael mynd ar wib
rhag grŵn peiriant: boned tu ôl
a chist car tu blaen –
gan ymgolli, llesmeirio
wrth hwylio i ryw ynys las
a'r cefnfor yn eirias amdanaf,
y tonnau'n faneri gwynion,
a phalmwydd ar y traeth.

Ond glesni'r dychymyg ddaeth i stop
wrth i wynebau glasach weiddi,
a chanu corn fesul corn
yn y glust, a dwylo'n rhegi
wrth i'r golau gwyrddlas rythu.

Thâl hi ddim mewn tagfa draffig
grwydro ymhell o'r llyw, a fiw
i chi ffoi i ias o ffantasi
cyn i'r golau newid ei liw;
creu o'ch cragen fetel ryw Ynys Afallon
sy orau,
a mynd o dow i dow nes cyrraedd yn raslon.

**MENNA ELFYN**
Awst 2016

# FFEINAL Y TALWRN

Mae yn ffeinal y Talwrn
waed o hyd. Mae codi dwrn
ar bob tu. Mae canu cyrn
dasg wrth dasg. Gwelwyd esgyrn
yn snapio. Mae sawl sneipar
ar bob wal yn gwylio'r bar
efo'r hwyr. Mae dager frau
yn cuddio mewn cywyddau.
Mae dryll mewn mydr o hyd
ac odlau'n gleddau gwaedlyd.

Ond yn yr hwyr, synhwyrwn
dawelwch yr elwch hwn.
O'r rhyfel daw pob prifardd
yn gytûn bob un, pob bardd
o sŵn y maes yn ymhél,
dod i drafod y rhyfel,
ac o hyd fe ergydiwn
fesul gair, nid fesul gwn.
Dyna ffeinal y Talwrn:
cadoediad yw, nid cau dwrn.

**GRUFFUDD ANTUR**
Awst 2014

Cynhelir ffeinal cystadleuaeth Talwrn y Beirdd ar y Sadwrn cyntaf yn flynyddol ym mhob Eisteddfod, gyda'r Babell Lên dan ei sang!

# HAF 2017

Mae Hedd Wyn yn meddiannu ein heddwch
yn nyddiau'r gwahanu,
a'r henwyr blin yn rhannu
i'r to iau gadeiriau du.

**EMYR LEWIS**
Awst 2017

Yn 2017, roedd can mlynedd ers marwolaeth Hedd Wyn ar y 31ain o Orffennaf, 1917, ym mrwydr Passchendaele.

# BANGOR WELSH

Mi fydd yr iaith yn cuddio,
a chwalu trefn cefn y co'.
Yno o hyd, mae'n hiaith ni'n
un nad yw'n iaith am dewi.

Mae'r iaith fach yng nghilfachau
Saesneg 'bur' y bur hoff bau'n
deud yn iawn nad ydan ni'n
unlliw, ond gwlad sy'n danlli
o holl ieithoedd holl lwythau
y wlad, ac er amlhau
rhoi gwarthnod ar dafodau;
y feri iaith fu'n iaith frau
yw'r iaith sydd yn ymrithio
yn sŵn gau ei Saesneg o.

**OSIAN WYN OWEN**
Awst 2019

Cywydd wedi ei ysbrydoli o glywed sgwrs rhwng dau mewn bỳs-stop ym Mangor: 'He came over for a *panad*, *ia*, and *Iesu Mawr* he wasn't feeling well, *bechod*.'

# HAF O HYD

## (HAF POETH O SAFBWYNT GWEITHIWR SWYDDFA)

Aeth Gorffennaf. Haf o hyd ydyw hi,
ac mae'n dwym! Criw chwyslyd
yn y gwaith ŷm ni i gyd!
Rhoes haf ei greisis, hefyd,

a'n creisis? Do, fe'n craswyd bob yr un,
fel *hash browns*, fe'n ffriwyd!
Ond gwres rhy gynnes a gwyd
i'n canol – fe'n air-coniwyd,

ond nid *air-con* sy'n llonni'n awelon
rhwng waliau i'n hoeri
sydd fan hyn i'n swyddfa ni:
yn yr ha', mae'n ein RHEWI!

Mae'n bwerus, mae'n beiriant y nenfwd!
    Anghenfil diwydiant
  heb ei ail, ddirgryna bant
  â'i orchwyl uwch-ddisgyrchiant,

yn gerrynt Arctig araf i'n fferru,
    caiff herio'r rhai gwytnaf!
  Ein gwae dry'n frethyn gaeaf,
  bobble hats heb awel haf,

heb synnwyr! Codwn, hwyrach, rhyw wegian
    o'n rhewgell dan rwgnach
  mas i'r stryd, am funud fach;
  man go neis. Mae'n gynhesach.

**ARON PRITCHARD**
Awst 2018

# *MEDI*

Buarth ysgol a choleg
A lleisiau y dechrau'n deg
Droedia'n wallgof, diofid,
A'r troedio yn gyffro i gyd.

Eto'n ôl i'n tanio ni
I gae chwarae gwlad â'i chewri,
Tîm Cymru'n un â ninnau
O arf i arf yn cryfhau
O'r haf yn garfan gryfach,
Yn fwy fyth na phrydain fach!

Mae Medi'n fy maes innau'n
Ddiwedd haf, yn ddydd o wae
I gywain at ddrws gaeaf
I gyni'r hil, egni'r haf,
Fel bod ysgol a choleg
Y lleisiau iau'n dechrau'n deg.

**ARWYN GROE**
Medi 2016

# TÂN (AR DDYDD OWAIN GLYNDŴR)

Doedd heno, erbyn meddwl, ddim yn ddrwg;
cynuta wnes-i, hyd y lôn a'r ffos,
cyn gwylio'r priciau tamp yn magu mwg
a chwalai fel telynau mud i'r nos.
O'r diwedd, chwythais nhw'n gymanfa dân –
rhyddhawyd heulwen hen, o fol y pren –
ac wrth gynhesu 'nghorff, a'r fflamau'n gân,
cymunais â'r gorffennol yn fy mhen.
O gwmpas tân fel hwn, mewn oes o'r blaen,
datganai'r fflamau awdl-newid-byd;
synhwyrodd ein cyndadau'u ffordd ymlaen,
ond gwelaf mai yr un yw'r daith o hyd ...
a'r fory, 'Yes' sy'n dal i'n haros ni:
yn chwythu tân Glyndŵr i 'nghalon i.

**IFOR AP GLYN**
Medi 2020

# Y FILLTIR SGWÂR

Does gan y filltir hon ddim corneli,
dim cysgodion i gwato neu lechu,
dim dechrau na diwedd iddi,
mae'n fwy na'i maintioli.

Ac o'r funud y cei di dy eni
mae'n gadael ei hôl arnat ti,
a dim ots os mai i bedwar ban yr ei di
neu hyd yn oed y tu hwnt i hynny,

cei fynd â thamed ohoni 'da ti,
wa'th mae'n plygu'n dwt fel origami
i faint cledr llaw i'w chadw'n deidi
mewn poced nesa at dy galon di.

Achos mai *dyma* ble mae dy bobl di,
dy dylwyth a'r rhai sy'n dy garu.
Dyma ble mae'r tir a'r awyr yn toddi,
yn gawl cymysg cyfarwydd o gynefin a theulu.
A dyma ble mae bwrw gwraidd yn cyfri,
dyma ble mae'r egin a'r egni
ac yn nerth bôn y fraich daw blagur i dyfu.
A sut fedra i esbonio mewn geiriau i chi
mai fan hyn yw fi?

**ELINOR WYN REYNOLDS**
Medi 2018

# PLASTIG!

Dow, meddai Dyn, mi alla i wneud yn well fy hun.

Edrychodd o ddifri ar ei fyd o glai a choed, o garreg a llechi,
gan feddwi ar y syniad o Fywyd Modern.
Gwell. Cyflymach. Cryfach. Ysgafnach.
Trodd ei law at atom; aeth ati i ymyrryd . . .
A do! Llwyddodd i drin cadwyni o bolymer,
carbon, ocsigen, nitrogen, swlffwr a silicon
a chreu plastig.
Plastig! Plastig!
Plastig! Ffantastig!
Plastig yn llifo o'n droriau,
o'n pyrsiau, o'n clustiau
i mewn i grombil y ddaear
ac i'r tonnau.

Penodir wythnos ym mis Medi gan amlaf i dynnu sylw at bwysigrwydd ailgylchu ac i hybu byw yn fwy gwyrdd.

Wele! Ein dyfais wych
mewn gwrych, ar lwybr troed, ar frigau'r coed,
yn y pysgod, ar ein platiau, yn ein boliau . . .
Oedwn, rhwng cegiad a chegiad,
i brofi blas ein Bywyd Modern.
Mae ei wenwyn hallt yn ein gyrru at atom eto
ond mae patrymau'r cadwyni'n ein drysu
a'n dallu rhag dychmygu mwy.
Mae terfyn ar orwel ein gweld.

Ond yna, dow, meddai Dyn, yli ar Natur ei hun.
Mae gwychder yma o'n blaenau!
Yli'r pry yma, yn hongian ben i waered.
Heb siw na miw, mae'n byw mewn realiti sydd tu hwnt i ni.
Mae'n hongian, mae'n cerdded ben i waered.

GWELER, meddai Dyn. Gallwn ddysgu gan Natur ei hun.

**CASIA WILIAM**
Medi 2017

# ABERFAN

## (AR ACHLYSUR NODI 50 MLYNEDD ERS Y DRYCHINEB)

A'r hydre'n fud eleni, – a dail hen
hyd lan yr holl feddi,
gweld yr haf ni fedraf fi
na deall, ond distewi.

**TUDUR DYLAN JONES**
Hydref 2016

# *YR HOEDEN*

Â llam yn ei llais, trodd ataf un tro
Yng nghiliau rhyw dafarn, a brolio ei bro;
*Dior* oedd ei hacen, *Chanel* oedd ei gair,
Pan aeth, cododd hiraeth fel gwawn yn y gwair,
A gwyddwn na allwn ymlonni heb hon,
Na byw heb ei nabod a'i chloi dan fy mron.

Dilynais yr hoeden o'r Rhondda i'r Rhos,
Ac yfed o'i cherddi yn nwyster y nos;
Fe lanwodd fy mreuddwyd, fe nerthodd fy nwyd,
Rhoi lliw ar y llechwedd a blas ar fy mwyd;
Ond corwynt yw'n cariad a'i dân i ni'n dau,
Serch Burton a Taylor, gorawen a gwae!

Rwy'n drachtio a drysu, yn mynd gyda'r teid
Oherwydd, fy hoeden, be' ddiawl wyt ti'n ddweud?
'Ty'd yma, 'rhen hogyn ...', 'Wel dere, boi bach ...'
Am awr o lapswchan caf ddwyawr o strach!

Rhwng dau a dwy, a thri a thair,
Mae 'mhen i yn troi fel olwyn ffair;
Mae cath yn gath, a'r gath yn chath,
Allwedd yn 'goriad, llefrith yn lla'th!

Mae'n groten ffein, ond yn hogan glên,
A'r enath grintach yn rhoces fên;
Cadno yn llwynog, a bord yn fwrdd,
Darfod yn bennu, maharan yn hwrdd!

Panad yw dished, isio yw moyn,
Ffwr' â chdi nawr, llamsachus fel oen!
Benthyg a mincid, twgyd a dwyn,
Geiriau o bobman – mae'n farus, mae'n fwyn.

Mae'n denu a gwenu, ffromi a siomi,
Bregus a brochus, llon fel y lli;
Hon yw fy wejen, fy halen a'm hufen,
Hon yw'r anwylyd sy'n fywyd i fi!

**ROBAT POWELL**
Hydref 2020

Ym mis Hydref 2020 penodwyd wythnos ar Radio Cymru i ddathlu dysgu'r Gymraeg. Cyflwynwyd y gerdd hon gan Robat Powell i bawb sy'n ceisio dysgu'r iaith.

# CALAN GAEAF

A glywaist ti y bwci bo?
Mae sŵn fel crafu ar y to.
Tu ôl i'r drws mae taro – cnoc! –
Cyn bod tawelwch, a sŵn tic ... toc . . .

A welaist ti y bwci bo?
Efallai cip trwy dwll y clo?
Neu ffurf rhyw gawr, neu drwyn hen wrach?
Neu gysgod heibio'r ffenest fach?

A deimlaist ti y bwci bo
Fel awel rewllyd o'r tân glo?
Neu law yn estyn am dy ffêr
O dan y *duvet* 'n oer i'w mêr?

A wyt yn ofni'r bwci bo?
Mae rhai yn dweud, wrth fynd o'u co',
'Dychymyg sydd yn chwarae tric'!
Ond a feiddi di wneud heno un smic?

**OSIAN RHYS JONES**
Hydref 2017

# 'THIS IS NOT SOCCER!'

Mae un o'r Cwm yn nhwrw'r cae. Un gŵr:
ceiliog gwynt y campau;
gŵr a ddofa gyhyrau
y maes o'i dweud fel y mae.

O ferw llafar y llwyfan a'i holl sŵn
drwy'r gwyll seinia'i gytgan;
gall dorri crib â'i chwiban
neu roi cais yn glochdar cân.

Trwy orwelion chwarter eiliad y gwêl
hebog ias y rhediad
a mès o gyrff maes y gad
a'i llaid ac ambell wadad!

Pan ddaw torf a'i thymer i'w herian e
ni chlyw un yn sgrechian;
ei Wendraeth yw dur a thân
ei lais dros lu a'i hisian.

Am unwaith y mae am ennill heb os!
Dan bwysau sawl pennill
bydd tôn lawn sôn fesul sill
yn waedd am guro'r gweddill.

Ni fydd drwy'r gân wahaniaeth rhwng dynion,
rhwng doniau'r ddynoliaeth
i uno gwŷr a fu yn gaeth
yn deulu o frawdoliaeth.

Mae un o'r Cwm yn arwr cêl drwy'r stŵr,
un gŵr ar y gorwel;
yn ddiduedd o dawel,
mor wych yw'r Gymru a wêl.

**ANEIRIN KARADOG**
Hydref 2015

Roedd Cwpan Rygbi'r Byd yn cael ei chynnal yn yr hydref yn 2015 ac un o'r dyfarnwyr oedd Nigel Owens. Un o linellau enwog Nigel a lefarodd wrth chwaraewyr o'r Eidal oedd 'This is not soccer!'.

# *TACHWEDD*

Briwiau'r sêr
sydd ar groen y bore,
a chlais y nos yn ddu amser codi.
Cwsg. Trwm gwsg
y caeau gwair.

Stacan o foi yw'r glaw
sy'n codi poer
wrth bregethu
bod yr haf wedi pallu.

Afon feichiog
lan at ei bogel,
a'r borfa'n boddi.
Pollethi pridd,
caeau'n stecs.
Ambell goeden ar ei gorwedd.

Bigít y brigau
sy'n dwyn y ddeilen olaf
o'r clawdd.
Yr allt yn borcyn,
a'i bysedd gwrach yn rhisgl brau.

Gwelaf yr hewl ddu
yn sodlau'r defaid,
ar dramp drwy'r dolydd di-gwilt.
Da bach yn pori,
adar yn sgathru,
a'r brain fel nodau
ar linell o gerddoriaeth.
Mae cân y gaeaf yn y gwynt.

**HEIDDWEN TOMOS**
Tachwedd 2017

# *DRAMA DDOMESTIG!*

Bore da!
Sychu trwyna,
sychu penola,
gwneud cacenna –
ond golchi 'nwylo gynta –
ond bod y sinc llawn mwd y Barri
'rôl llnau sgidia rygbi.
Ond mae'n amser sticio iddi,
'nôl i'r ysgol heddi!
Ar ôl byta, dyfrio, gwisgo mae'n amser hel y bagia ...
'Ti'm 'di gorffen dy waith cartra?'
'Be ti'n feddwl, prawf tabla?'
'*Je ne sais pas* lle ma'r cardia FIFA?'

Roedd pawb yn mynnu loetran,
felly rhaid oedd dechra sgrechian,
'Gwisgwch', 'Brwsiwch', 'Brysiwch! Rŵan!'

A ninnau ar fin mynd allan ...
'Mam – ga'i fechdan? Dwi'n casáu lledan.'
Troi 'nôl dan regi'n groch
a gwneud *wrap* yn llawn sos coch!

Bellach roedd hi'n chwarter i,
'Rhaid chi fynd i'r car, eich tri.'
A dyma ddechrau 'nhruth
am wneud Mam yn flin eto fyth,
a'r drwg i'r amgylchedd
o yrru yn lle cerdded.
Caf 'Sori, Mam' gan y tri,
a 'Mae'n dechra bwrw – lle ma'n cotia ni?'
'Rhedwch! Dyna'r gloch!'
Sws ar bob boch ...

A rŵan ga'i ddwy awr a hannar ...
i gael paned dawel a brwsio 'nannadd.
Ond mae'r tŷ ben i waered
a dwi angen sgwrio'r Calpol o'r carped.
Felly, mae'r clirio yn dechra
a'r Weetabix fel sment ar y cadeiria,
Llaeth y Llan dros y to,
angen hwfro drwy'r Lego ...

Baglu ar gleddyf ar fy hyd,
ond newidiwn i ddim o hyn am y byd!

**NIA MÔN**
Tachwedd 2016

# COWBOIS AC INDIANS

Plentyndod ofnadwy o boring ges i
heb Xbox, na Netflix na chwaith Es-ffôr-sî;
plentyndod tair-sianel y bocs du-a-gwyn,
plentyndod y perci yng nghôl Pen-y-bryn.

Plentyndod *Blue Peter* ac ofn *Doctor Who*,
plentyndod o fynd ar fy meic nefi-blw,
ac esgus fy mod i yn gwasgu y clytsh
mewn Ford Gran Torino fel Starsky a Hutch.

Plentyndod o gapel a chico pêl, glei,
o ddysgu fy adnod cyn *Match of the Day*,
a chwarae gêm Germans a British o hyd,
neu Cowbois ac Indians, yn gynnen i gyd.

Er nad yw plentyndod fy meibion â'u sgrin
yn debyg i hynny, mae'r gemau yr un,
sef ymladd, anturio a saethu ar ras –
er mwyn bod yn llwyddiant, mae'n rhaid bod yn gas.

'Run modd, sdim 'di newid ym Mhrydain, dim byd,
mae rhai'n chwarae Germans a British o hyd;
a draw yn y States y mae rhai'n gweld y byd
fel brwydyr rhwng Cowbois ac Indians o hyd.

**CERI WYN JONES**
Tachwedd 2020

# SUL CYNTA'R ADFENT

Rhwng trydar a galaru – a gawn-ni
gannwyll i'n cynhesu?
Bu Tachwedd yn Dachwedd du
a Pharis drwyddi'n fferru.

**NICI BEECH**
Tachwedd 2015

Ar y 13eg o Dachwedd 2015, cafwyd cyfres o ymosodiadau terfysgol ym Mharis a lladdwyd 130 o bobl.

# CALENDR ADFENT

Mae hi'n Ragfyr y cynta', mae hi'n fore dydd Llun,
Mae'r plant wedi agor ffenest rhif un

A ffenest rhif dau a ffenest rhif tri
A phedwar a phump a chwech, am wn i!

Llun seren, llun angel, llun carw, llun cloch,
Llun pwdin Nadolig a llun Robin Goch.

Gofynnais i'r fechan, be' fydd y llun
yn y ffenest ola', yr un ola' un,
I'w hagor ar y bore gore i gyd?
'Sws,' medde hithau, 'i bawb yn y byd!'

**TWM MORYS**
Rhagfyr 2014

# *NEWYDDION FFUG Y DOLIG*

Fel gŵyr pob rhiant cyfrwys
a Santa hyd y tir,
mae angen dos o gelwydd
cyn gallu llyncu'r gwir.

Bu raid i'r doethion clyfar
a Herod o fewn clyw
ddweud celwydd bach hanfodol
i gadw'r gwir yn fyw.

A Joseff – er ei fod o
'di gweld drwy'r angel yn glir,
mor daer roedd o am gredu
bod hwnnw'n dweud y gwir.

Y seren ddisglair eisoes
erbyn cyrraedd uwch y crud
oedd farw ers milenia,
yn gelwydd golau i gyd ...

A'r byd i gyd yn dywyll
a'r gaea'n oer a hir,
rhyw sgeintiad bach o gelwydd
fel eira dros y gwir

a wneith am nawr i'n twyllo
rhag cael ein llorio'n llwyr
gan rym yr holl wirionedd
a'n tarodd yn rhy hwyr.

A thitha'r babi bychan,
a thitha'r seren glir,
mi goelia i'ch holl gelwydd
cyhyd â'i fod o'n wir.

**LLŶR GWYN LEWIS**
Rhagfyr 2017

# BETHLEHEM

Maen nhw'n llenwi pob un o silffoedd y tŷ erbyn hyn,
cardiau Nadolig, a phob llun arnyn nhw yn gyfarwydd:
yr angylion lu, y tri brenin ar gopa'r bryn
yn syllu ar y seren o bellter ac yn dilyn ei harwydd.

Conglfaen ei ffydd i'r crediniwr yw'r cardiau hyn
tra bo'r amheuwr yn gobeithio mai gwir yw'r stori,
ond i'r anffyddiwr rhonc, dim ond celwydd gwyn
yw Nadolig yr eira, y Seren, a'r Mab i'w drysori.

Amgenach yw Bethlem y gwn i Fethlem y cardiau,
lle mae gwaed Palesteiniaid yn staenio man geni Crist,
a milwyr Israel hwythau yn llenwi wardiau
ysbytai â phlant maluriedig, toredig, trist.

A ddylid ar y cardiau hynny roi llun ceir ar dân
a lladd pob llawenydd a gobaith a mygu pob cân?

**ALAN LLWYD**
Rhagfyr 2016

# AR DDIWEDD 2020

## (DARLLEDWYD AR 31 O RAGFYR, 2020)

Oera marwor ugain-ugain ar aelwydydd,
aeth Nadolig arall heibio yn ei dro;
parsel heb ei agor ydi'r flwyddyn newydd.

Cadw pellter, colli swyddi, prinder bwydydd –
hir y cofiwn gyfyngiadau'r Cyfnod Clo:
oera marwor ugain-ugain ar aelwydydd.

Blino'n syllu'n gyson ar yr un hen walydd,
cyfarfodydd Zoom yn gyrru pawb o'u co';
parsel heb ei agor ydi'r flwyddyn newydd.

Gwylio'r graffau'n codi'n sydyn, uwch-uwch beunydd,
gormod yn annhymig-orwedd yn y gro:
oera marwor ugain-ugain ar aelwydydd.

Ond gyda'r Calan daw gobaith gweld yr hafddydd,
buddugoliaeth brechlyn, gyrru'r haint ar ffo:
parsel heb ei agor ydi'r flwyddyn newydd.

Ac yna'r gwres! Fe gawn brofi hen lawenydd
dod ynghyd, un teulu eto dan un to.
Oera marwor ugain-ugain ar aelwydydd,
ac anrheg heb ei hagor yw pob blwyddyn newydd.

**CHRISTINE JAMES**
Rhagfyr 2020

# RADIO'R HWYR

Rhannu'i phader wna'r ddinas arferol
yn eco triw mewn cwter, ar heol
a rhwng y muriau.

Yng nghamau hwyrol
olaf heddiw, mae 'na adlef feddwol
ddi-ras, a'r dydd sydd ar ôl, gan hynny'n
rhyw ddiweddu yn gerydd o waddol,

ond mae radio.

Caf heno gwmpeini
rhyw rai anwel sy'n gudd mewn sianeli
a'u dweud llonydd, lle caewyd y llenni.

Nos o guddio'n y miwsig, a gweddi
o sain sy'n fy nhywys i o'r blerwch.

Tiwniaf i'w heddwch.

Cysur tonfeddi.

**ARON PRITCHARD**